Wawa le koala

Le koala est une grosse boule de fourrure avec des petits yeux, des oreilles en bataille et un nez aplati et recourbé. Ses fortes griffes lui servent de crampons pour s'accrocher aux arbres. Il vit dans les forêts d'eucalyptus car il se nourrit exclusivement de feuilles de cet arbre.

Riri la chauve-souris

La chauve-souris est facilement reconnaissable à ses grandes ailes de peau. Quand elle dort, elle s'accroche aux branches des arbres, la tête en bas. En Australie, on trouve des chauve-souris appelées renards volants qui se nourrissent de fruits sauvages et de pommes ou de mangues qu'elles volent dans les vergers.

Toto
L'ORNITHORYNQUE
et l'arbre magique

SCÉNARIO
ERIC OMOND

DESSIN
YOANN

DELCOURT

Pour Gustave, Lucie et Benjamin.
Remerciements à Pascal Rabaté,
Marc-Antoine Mathieu et tous ceux qui m'ont soutenu.
                                                            Y.

Des mêmes auteurs, chez le même éditeur :
• *Ninie Rézergoude* (deux volumes)

Aux Éditions Audie :
• *Paris Strass*

Chez Dargaud Éditeur :
• *La Voleuse du Père Fauteuil* (trois volumes et intégrale)

Aux Éditions Triskel :
• *Phil Kaos*

Du même scénariste, chez le même éditeur :
• *Les Gamins* (trois volumes) - dessin de Nesme
• *Gus le menteur* - dessin de Bodin
• *Hubert la cervelle* - dessin de Gelli
• *Mort Linden* (trois volumes) - dessin de Marty
• *Sang & Encre* (trois volumes) - dessin de Martin
• *Stabat Mater* - dessin de Beuzelin

Aux Éditions La boîte à bulle :
• *Transports sentimentaux* - collectif

Aux Éditions La comédie illustrée :
• *Jeunes, des nouvelles de la cité* - collectif

Aux Éditions Feu vertèbres-cérébrales :
• *Pandora boxe* - dessin de Dominique P.

Aux Éditions Glénat :
• *Le Dérisoire* - dessin de Supiot
• *L'Épouvantail pointeur* - dessin de Beuzelin
• *Féroce* - dessin de Supiot
• *HCL* (deux volumes)

Aux Éditions Vents d'Ouest :
• *Écarlate* (deux volumes) - dessin de Rôcé

Du même dessinateur, chez le même éditeur :
• *Carmen + Travis - Les Récits* (tome 2) - collectif
• *Donjon Monsters* (tome 6) - scénario de Sfar et Trondheim
• *Ether Glister* (deux volumes) - scénario de Ferlut
• *Fennec* - scénario de Trondheim

Aux Éditions Albin Michel :
• *Croyez-en moi* - avec Ravalec

Aux Éditions Dupuis :
• *Spirou et Fantasio vu par... Les Géants pétrifiés* (tome 1) - scénario de Vehlman
• *Les aventures de Spirou et Fantasio - Alerte aux Zorkons* (tome 51) - scénario de Vehlmann
• *Les aventures de Spirou et Fantasio - La Face cachée du Z* (tome 52) - scénario de Vehlmann

Aux Éditions Triskel :
• *Le Vilain Petit Canard* - textes de Dutertre et Rieu

Lettrage : Jean-Marc Mayer
Conception graphique : Trait pour Trait

Loi n° 49-956 du 16 juillet 1949
sur les publications destinées à la jeunesse

Achevé d'imprimer et relié en France en mars 2012

www.editions-delcourt.fr

LE JOUR SE LÈVE SUR UN PETIT COIN DE L'AUSTRALIE...

Mmhh?!

OUAAH!

Rien de tel qu'une bonne tartine de vers de vase au petit déjeuner !

3

La séche-
resse!

C'est la
séche-
resse!

CATAS-
TROPHE!

Mais non, mes
petits eucalyptus
sont en pleine
forme!

Je crois
plutôt que
la rivière
doit être
bouchée en
amont.

SUPER!

Voilà une
excellente
occasion
de se
balader!
Remontons
la rivière!

Mais cela
risque
de nous
éloigner
longtemps
de nos
maisons.

Mais non!
Pas si
vous passez
par la
forêt!

La rivière décrit un arc de
cercle, mais à vol d'oiseau,
il n'y en a que pour
deux heures.

4

PLUS L'ORNITHORYNQUE ET SON AMI KOALA SE RAPPROCHAIENT DE L'ARBRE ROUGE, PLUS LA FORÊT ÉTAIT CALME ET SILENCIEUSE...

UN VIEUX WOMBAT SEMBLAIT LES ATTENDRE DEPUIS TOUJOURS ...

Que venez-vous faire ici, jeunes animaux ?....

Nous voulons grimper en haut de l'arbre rouge et retrouver notre chemin.

C'est impossible! Cet arbre est magique, et plus vous grimperez, plus il vous semblera vous éloigner du sommet!

Ah bon? L'arbre va grandir alors?

Au contraire : c'est vous qui aurez l'impression de rapetisser... c'est magique!

Hu Hu!

Ça c'est pas de chance!

Y'a plein d'arbres, et nous, l'faut que nous tombions sur celui qui est magique!

Peut-être savez-vous où est la rivière?

Ma foi non, je ne bouge guère d'ici...

...Mais j'ai quelque chose qui peut vous aider...

7

9

?....

?!

Regardez ces brins d'écorce. Quand ce sera le moment, plantez-les dans le sol.

À quoi ça sert ?

La première réveillera l'esprit du passé, la deuxième l'esprit du présent, et la dernière celui du futur...

NOS DEUX AMIS REMERCIÈRENT LE VIEUX WOMBAT ET REPRIRENT LEUR ROUTE...

Il est pas bien dans sa tête ! J'aurais mieux fait de grimper dans l'arbre...

8

MAIS AU BOUT D'UN MOMENT...

GROUIK GROUIK

Mon ventre est en colère, il faut manger.

J'ai fini toutes les crevettes et les vers que j'avais emmenés...

J'espère qu'on sera vite à la rivière !

KRUMPF KRUMPF

Tu veux un peu d'ocalyptus * ?

Des feuilles ! Beurk ! C'est dégoûtant ! Tu veux me faire vomir mes vers ?!

UNE FOIS LE VENTRE PLEIN, ILS ARRIVENT DANS UN ENDROIT BIEN SOMBRE...

Et en plus, ça sent mauvais !

HAAA !! QU'EST-CE QUE C'EST QUE ÇA ?!

?

* Eucalyptus

9

C'est la queue d'un animal qui a dû se faire manger par un plus gros que lui...

MAIS C'EST DÉGOÛTANT !!

Les herbivores, vous êtes trop sentimentaux. Il faut bien se nourrir. C'est la nature.

Eh bien, celui-là n'avait pas très faim. Il n'a pas fini son repas.

WAWA ET TOTO RENCONTRÈRENT D'AUTRES ANIMAUX MORTS. ILS ÉTAIENT ÉTONNÉS, CAR À PART L'HOMME, ILS NE CONNAISSAIENT PAS D'ANIMAL QUI TUAIT POUR LE PLAISIR.

Toto, j'ai peur! Allons-nous-en d'ici!

Moi aussi, je suis inquiet. Qu'a-t-il pu se passer?

PASSÉ ?

Mais oui! La première écorce est celle du passé! En la plantant, nous saurons ce qui est arrivé.

N'importe quoi!

10

11

ET ELLE
NOUS A
TOUS
TUÉS !!

HA!

Ce n'est pas de chance
...nous allions vers la
rivière, mais s'il y a
la BÊTE, autant faire
demi-tour.

NON ! Car vous
avez des écorces
magiques et vous
pourrez vaincre
le monstre.

... Alors, en
souvenir des
animaux morts
allez combattre la
BÊTE !

D'accord.
Nous jurons
d'essayer.

Ça va
pas ! T'es
fou ou
quoi ?

Je suis
l'esprit
du passé
et je souffre
trop souvent
d'être
oublié ...

Vous trouverez
la rivière en
continuant
dans cette
direction.

Merci.
Nous ne
t'oublierons
pas.

14

WAWA! Regarde cette drôle de chose !

On dirait un cactus qui tremble !

Les cactus ne tremblent pas.

C'est peut-être le vent qui le fait bouger.

Il n'y a pas de vent.

13

Alors ... heu...c'est peut-être un cactus ou un animal...

¡IDIOT! Un animal ne peut ressembler à un cactus!

Si!

?

WAA!

Quel drôle d'animal... Pourquoi trembles-tu?

Je suis Chichi l'échidné.

Je suis en boule car j'ai eu très peur.

Moi aussi!

La BÊTE m'a poursuivie jusqu'ici. Elle avait de grandes dents et des yeux brillants!

Elle ne m'a pas mangé à cause de mes piquants.

J'ai des écorces magiques pour combattre la BÊTE. Viens avec nous et tu n'auras plus peur...

C'est pas vrai, moi j'ai quand même peur!

D'accord, comme ça, je vous aiderai à reconnaître la BÊTE.

14

15

UN GRAND PARADISIER
DESCENDIT DU CIEL !

Bonjour, je suis l'esprit du présent.

Chaque jour est un nouveau défi pour l'animal.

Il doit travailler pour survivre et se nourrir...

16

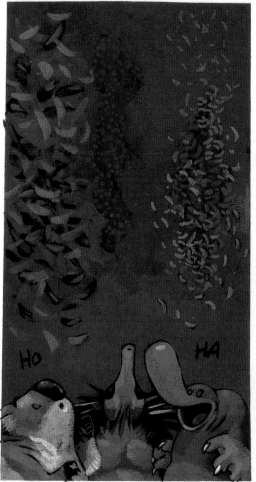

Quel dommage que l'oiseau ait disparu en se transformant, il était si beau...

...et si bon.

Je n'ai pas disparu, je suis toujours là...

Où ça? Je ne vois rien.

Je suis invisible maintenant, comme le présent je ne dure qu'un temps, sitôt arrivé et déjà parti...

...Mais pour peu qu'on y fasse attention, tous les jours je renais plein de nouvelles couleurs.

Merci esprit du présent, maintenant nous ferons attention à toi.

Hihi!

Ha!

HA HA!!

19

MAIS À LA FIN DE LA JOURNÉE...

Mince! Où on est?

Heu... Je crois que j'ai confondu les reflets du soleil... ça fait comme l'eau!...

C'est pas possible! Tu nous as complètement perdus!

C'est que je suis un peu myope...

Le soleil se couche! Le mieux, c'est de rester à dormir ici!

Plantons l'écorce du futur, peut-être nous aidera-t-elle pour demain.

Bonne nuit, Toto.

21

TOTO ! Il est temps de rêver !

Je suis où ?

Dans mon pays... Je suis l'esprit du futur, l'esprit des rêves.

Ah bon ? Et qu'est-ce qu'on va faire ?

Se promener...

Profiter de ton sommeil...

Mais je n'ai pas le temps, je dois retrouver la rivière.

Il faut faire confiance à ses rêves... apprendre à espérer.

Tu vois ce boomerang ? Vas-y !

22

Va dans cette direction, et tu verras une croix.

Et maintenant ? Je fais quoi ?

Tu te sers de tes oreilles ...

J'entends une musique ... Qu'elle est belle !

Suis cette musique et n'oublie pas d'écouter tes rêves.

Merci ! Cet air me redonne espoir !

23

Suivons ce bruit...

TOTO ET SES AMIS ONT COMPRIS CE QUI A ASSÉCHÉ LA RIVIÈRE : DES BRANCHES ONT ÉTÉ MISES EN TRAVERS POUR FAIRE UN BARRAGE.

Bonjour Gecko, qui a mis ces branches ici ?

Partez vite, car c'est la **BÊTE** qui a fait ce barrage !!

Les habitants de l'eau qui descendent la rivière sont coincés et la **BÊTE** les mange !

Et comme la rivière est devenue trop large, ceux qui veulent traverser sont pris au piège !

Nous n'avons plus d'écorces magiques, tout est perdu...

25

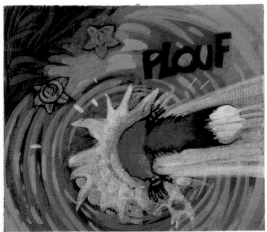

29

FIN DE L'ÉPISODE.

30

YOANN 97 — OMOND —

Toto l'ornithorynque

L'ornithorynque est un drôle d'animal : il a un bec de canard, une queue de castor, des pattes palmées et de la fourrure. Il passe deux heures par jour dans l'eau, à avaler d'énormes quantités de vers, de larves, et parfois de petits poissons. Le reste du temps, il demeure dans son terrier dont l'entrée est hors de l'eau.

Chichi l'échidné

L'échidné a le dos recouvert de longs piquants, de fortes pattes griffues, et un long museau terminé par une toute petite bouche. Il se nourrit d'insectes qu'il attrape avec sa langue, puis broie dans son estomac grâce aux cailloux qu'il a avalés. Il vit dans les régions broussailleuses.